故事背景

　　小米是个小游侠！和古代的侠客一样，她爱四处闯荡，也爱打抱不平。不管是在城市里，还是去乡村，总有古怪有趣的事情发生在她身上：她会骑着云鹿上天帮嫦娥捉玉兔，会钻进龙王洞里叫龙王爷起来下雨，会驾着五彩云去找救命的菊花泉，还能上戏台当一回"哮天犬"！她帮灶神腌过咸菜，偷偷参加了杜鹃仙子的告别宴会，还差点儿被贪吃的蛇妖撞下水去！有一次，她不小心进了一个螺壳，就变成了像拇指姑娘一样的小不点儿……

　　小米的一年四季充满了神奇的冒险，这当中自然也少不了她的好朋友。还等什么？赶快一起进入小米的多彩世界吧！

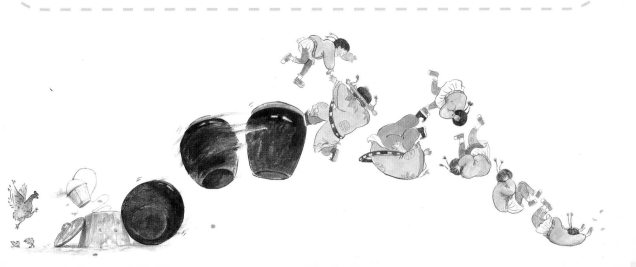

人物介绍

小米

可不是一般的小姑娘！她大胆莽撞，对什么事都好奇，独立自主，总能自己解决问题。最让人羡慕的是，她有一块神奇的云符，能在需要时给她帮助。

丁丁

是个书虫，老因为胆子小被嘲笑，但他总能出人意料地想出解决问题的好办法，是个忠实的好朋友，常常和小米一起去冒险。

金蟾

是个不靠谱的家伙，爱吹牛皮，爱耍小聪明，有时还会临阵脱逃，真正是"成事不足败事有余"！不过有时它也会歪打正着，给小米帮上大忙。而且，它的来头可不小呢！

洪爷爷

是小米最好的朋友，不过他从哪里来，连小米也不知道。他有一个神奇的宝葫芦，不但什么都能装，还会带着他飞天遁地，可酷啦！

嘟嘟

又勇敢又可爱，干什么事都一马当先。不过它也是只贪吃的小狗，一受到美食的诱惑，可顾不了什么大局了！

出发！奇幻世界就在你身边

小米游侠记

第一辑

虎头将军

旭爽/文　素一, 秋秋/图

朝華出版社
BLOSSOM PRESS

"就在村民们饱受蛇妖之苦时，端午前夜，虎头将军从天而降。"小米趴在床上，给小熊猫布布念昨晚没看完的漫画，"……端午节这天，风雨大作，暴雨直下到黄昏才停。月亮升起后，湖面恢复了平静。村民们发现，湖中心多了一片芦苇荡，蛇妖被虎头将军镇在了里面……"

  这时门吱呀一响，爷爷走了进来。"噗——噗噗。"他嘴里含着什么东西，不停地往外喷。

  "噗——"

  "爷爷！你喷到我的书上啦！"

  "没关系啊，是雄黄酒，辟邪的呢！"

爷爷继续噗噗噗地喷：

"蛇虫百脚，勿来骚扰。"

"蛇虫百脚，走个清爽。"

满屋子都是奇怪的酒味。

　　"小米，还不下楼？厨房里有件稀奇的宝贝给你看……"

　　小米跳起来，追着爷爷下楼去："爷爷，爷爷！是什么宝贝？"

　　厨房的地上放着一只竹篓。小米睁大眼，看着爷爷从篓子里掏出一只胖乎乎的蛤蟆：

　　"看，一只'虎头将军'！"

　　蛤蟆眨巴着大眼，可怜兮兮地看着小米。小米吓了一跳：

"金蟾？！"

爷爷把金蟾放在灶台上，对小米说："来，你牵着'虎头将军'，让它沿锅灶里里外外爬一圈儿。今年我家有'虎头将军'保佑，一定百毒不侵，逢凶化吉。"

金蟾一下子得意了，它挺起大肚子，绕着灶台蹦跶起来。爷爷很高兴："今年这只'虎头将军'真不赖！"

小米想起漫画里那个威风八面的虎头将军，又看了看金蟾，鼻子里一哼："它哪有半点儿像虎头将军？"

一阵铿朗朗的
铜锣声从门口飘过。
"乡亲们,去看抢鸭
子嘞!"有人在巷子里
喊。

爷爷提起装着粽
子和雄黄酒的竹篮,
拉了拉小米:"走,跟
爷爷抢鸭子去!"

"我也要去!"
金蟾连忙跳上小米的
肩膀。

"阿——嚏——!"
它猛地打了个大喷嚏,
皱起脸来:

"你身上有雄黄
的味道!好难闻!"

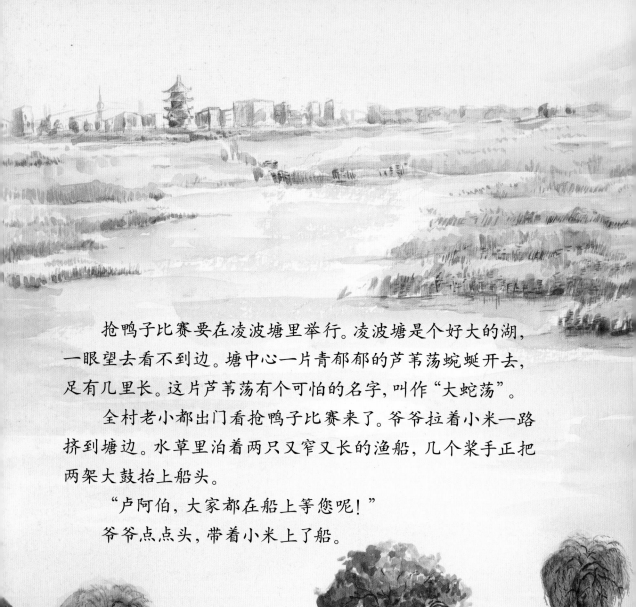

抢鸭子比赛要在凌波塘里举行。凌波塘是个好大的湖，一眼望去看不到边。塘中心一片青郁郁的芦苇荡蜿蜒开去，足有几里长。这片芦苇荡有个可怕的名字，叫作"大蛇荡"。

全村老小都出门看抢鸭子比赛来了。爷爷拉着小米一路挤到塘边。水草里泊着两只又窄又长的渔船，几个桨手正把两架大鼓抬上船头。

"卢阿伯，大家都在船上等您呢！"

爷爷点点头，带着小米上了船。

一踏上船，船身就左右晃动起来。小米赶紧坐到大鼓边上。

"喂，卢老头！带着孙女给你壮胆吗？"对面船上敲鼓的老头儿冲爷爷喊。

"田大炮，废话少说。今天还让你做我的手下败将！"爷爷冲他喊回去。

"小姑娘，塘里有吃人的大蛇，掉下去就给它当点心喽！"对面船上的小伙子笑眯眯地对小米说。小米白了他一眼，不吭声。

"大蛇？塘里有大蛇？"金蟾低声叫道。

"你要怕就下船去。"小米说。

　　不过要下船也来不及了。岸边响起了噼里啪啦的鞭炮声，两条木船调转身子，把船头对着湖心。咚！爷爷在鼓面上重重一击，桨手们拿起桨，橹手们抓好橹，大家都屏住了气。

　　镗！一记响亮的铜锣声滚过水面。嘭！嘭！嘭！鼓点像雷声一样在湖面上炸开，两条船向湖心疾驰。

"嘿——嘿——嘿！"爷爷大喊，双手一起一落。

"嘿！嘿！嘿！嘿！嘿！"对船的田爷爷不甘示弱，吼得更响。

"嗨哦！嗨哦！嗨哦！嗨哦！"桨手和橹手和着鼓点，嘴里喊着号子。

爷爷的木船擦过田爷爷的船，像箭一样笔直地射向湖心。水花落到湖面，打出一个个坑洼，又被桨搅得粉碎。小米紧紧抓住鼓架，看着尖尖的船尾嗤嗤嗤地划破水面，激起白色的浪沫。

"啊，浮球！"她忽然叫道。离船头不到一米的地方，有个圆球在水面上跳动。

"坐稳喽！"站在船舷上的副橹手叫道，猛地把橹帮绳往外一拽——

木船一个急转弯，猛地甩过来，把金蟾抛向半空。

小米惊叫一声，看着金蟾飞出船外。

"小心喽！"桨手们喊道，忽然齐刷刷往后一倒——木船弹起来，贴着水面飕地滑了过去。金蟾的身子掠过浮球，又被抛回船上。

船打着横冲向湖心。

田爷爷的船紧跟着到了。

"喂，大炮，看我又赢你了吧？"爷爷得意地冲他叫。

"说什么大话！抢到鸭子再吹吧！"

潮湿的空气里传来火药的味道。噼噼啪啪一阵鞭炮声响过后，几十只鸭子被放出来，扑通扑通掉进水里。

"抢鸭子喽！"

　　鸭子们一落水，就向四面蹿开了。两只船在水面上慢慢打转。爷爷和田爷爷拿着网兜站在船头，目不转睛地盯着水面。

　　一只鸭子向船头游来。咔嚓——两支长竿同时罩过去，撞到一处。

　　"是我先动手的！"田爷爷大叫。

　　"抢到才算数！"爷爷手腕一翻，脱开田爷爷的竹竿，把网兜压向水面。

"好小子！"田爷爷怒道。他拉开四平大马，使一招"大江东去"，将手里的竿子平平掠向水面——劲力所至，湖里霎时起了一阵小小的浪。那鸭子受了惊，直着脑袋，眼看就要被兜住。

爷爷叫了声好，忽地把手肘一抬——他手里的竹竿弹出水面，在半空中划了道圆弧，又斜斜刺进水里。这招"斗转星移"使得好巧，竿子恰恰从田爷爷的网兜下插了过去。

小米屏住呼吸。只听哗啦啦一阵水声，那只鸭子被爷爷抓了起来。

"爷爷好厉害！"小米拍着手跳起来。

没多一会儿，船舱里就扔进了十来只鸭子。

"爷爷，能让我试试吗？"

爷爷把网兜递给小米："反应要快，一看鸭子露头，手里的竿子立时就挥出去……"

那田爷爷在一旁插嘴："小姑娘，别听你爷爷的，他就会取巧。我教你啊，下盘一定要扎稳，竿子要这么拿……"他再也顾不得捞鸭子，在船头舞弄起竹竿来。

他们两个七嘴八舌，小米不知道听谁的好。

偏偏金蟾也来凑热闹，它在小米脚边跳来跳去，不时叫着："快，快！别让它跑了！哎呀，你这么胆小做什么？用力一点啊！"

"你才胆小呢！"小米恼了，"刚才吓得连话也说不出，现在又来哇哇乱叫！有本事你来捞啊！"

有几只鸭子悄没声地钻出水面，向芦苇丛游去。

"看！看！鸭子要游到芦苇里去了！"金蟾大叫。

爷爷和田爷爷也看到了，他们让桨手加快速度，赶在鸭子进芦苇荡前截住它们。小船一先一后，驶向芦苇荡。

天忽然暗下来，头顶响起闷闷的雷声。船开进了大蛇荡。芦苇叶子擦着船帮，发出"沙沙"的响声。

嘎嘎，嘎嘎，鸭子在前面的芦苇丛里叫。爷爷伸出网兜，但扑了个空。嘎嘎，嘎嘎，鸭叫声又往后边去了。

嘎嘎，嘎嘎，鸭叫声似乎就在耳边，又似乎离得很远。轰隆隆！雷声在头顶滚过。

"要下暴雨了！"爷爷看了看天，"不找鸭子了，我们把船划回去。"

但他们已经在大蛇荡深处了，水道窄得只能通过一条船。要回头，就要让田爷爷的木船先让路。

"大炮，要下大雨了，你赶紧掉头，我们赶快出去！"爷爷冲田爷爷喊。

"胆小鬼！我们还没捞完鸭子、比出胜负呢！"田爷爷不但不退，反而指挥着桨手们往前划。两条船船头贴着船屁股，动弹不得。

雷声接二连三响过，忽然间"咔啦"一声，天像被打穿了个窟窿，大雨哗哗地倒下来。

　　船身猛地一晃，像被什么东西撞了一下。又听嘭的一声，田爷爷的船上有人叫道："不好了，船舱进水啦！"

　　水咕嘟咕嘟从舱底往上冒，田爷爷的船摇摇摆摆向下沉。

　　"快撤！"船员们争先恐后跳上爷爷的船，但田爷爷仍坐着不动。

"喂，田大炮！你想沉到塘底喂蛇吗？"

"卢老头，我一个人照样捞得鸭……"

没等他把话说
完，众人又听到一声
"咔嚓"，船忽然直
直坠了下去。

说时迟那时快，
爷爷一步跨过船头，
把田爷爷拎了过来。

　　小小的木船上一下子多了十几个人，船身吃不住，重重压进水里，像是马上也要沉了。

　　"掉头！把船退出去！"爷爷在雨里大喊。

　　一道明晃晃的闪电像剑一样，劈过芦苇丛。噼啪！头顶又炸开一个响雷。在那瞬间的电光之中，小米似乎看到这长长的芦苇荡在慢慢扭动，就像一条从雷电里苏醒过来的大蛇。

　　她把头探向翻涌的水面。在黑色的波涛里，有个青幽幽的东西蹿了过去。

　　"是蛇妖在攻击我们的船！"

金蟾跳进竹篮，想把自己埋进粽子堆里。可那雄黄酒的味道直往鼻子里冲，它觉得自己就要吐了。

　　"惨了，惨了，外有蛇怪，内有雄黄，我老蟾此身休矣！"

　　"喂！出来一起想办法！"小米在它耳边大叫，"不然我就告诉所有人，你这个虎头将军一看到蛇怪，就吓成了一只缩头蛤蟆！"

　　金蟾有气无力地白了她一眼，它觉得雄黄的气味钻进了它的四肢百骸，自己的魂灵正在离开身体。

"出来！"小米一把将它提了起来。

冷雨兜头淋上来，金蟾全身打了个激灵："有办法了！"

金蟾跳回篮子，抬起雄黄酒往粽子上挨个浇。嘴里嘀咕着："说起来我们也是同类。我喜欢吃粽子，你一定也喜欢吃粽子。我不喜欢这个味道，你一定也不喜欢这个味道。我让你吃粽子，让你吃——"

金蟾说得起了性子，跳起来，瞅着水面用力一掷。

那一串粽子在空中画了道弧线，跌入水面——只听"扑通"一声响，金蟾连哼都来不及哼一声，就跟着粽子一起没入水里。

原来它心急火燎地，把自己也绕了进去。

　　小米大吃一惊,扑到船舷上。漆黑的水面像被烧开一样,咕嘟咕嘟往外冒泡。一道闪电划过湖面,大蛇荡扭动着,挣扎着,沸腾的波浪卷起小船,把它抛向空中。

　　嘭!雷声炸进湖面,一直打到湖底,整个芦苇荡像是被连根拔了起来。小米全身发抖,她捂住耳朵,连气也喘不过来了。

　　这阵雷一定是老天爷把所有力气都用上了。雷声过后,雨停了,浪息了,水面上现出一点亮光。

　　爷爷大声喊道:"前边好像有路,大伙儿划起来!"

　　木船"嗖嗖嗖"向亮光冲过去。小米趴在船帮上,哑着嗓子大叫:"金蟾!金蟾!"

　　芦苇丛刷刷刷向后退，小米眼前蓦然一亮——木船猛地一跃，跳出了大蛇荡。船上的人都欢呼起来。

　　"可金蟾还在大蛇荡里呢……"小米大哭起来。

这时耳边传来隐隐约约的叫声："喂！等……等我！"

小米擦擦眼睛，看见水面上有个圆圆的肚皮在一沉一浮。

"金蟾！"她喜出望外，抓过网兜，一把将金蟾兜了起来。

金蟾躺在船头，嘴巴一瘪一瘪，吐出许多水来。小米松了口气："幸好没事。"

　　金蟾翻身坐起："当然没事！我可是堂堂虎头将军。"

　　"你看到蛇怪了？"

　　"何止看到,我还把它揍得哭爹喊娘。它连连讨饶,说什么'虎头大爷,我上有老,下有小,都指望着这几个粽子过节呢'。我看它哭得实在可怜,就放了它一马。"

　　小米鼻子里一哼。

　　"怎么,你不信啊?"金蟾说,"我告诉你,那家伙的牙齿可厉害了,又长又尖……"

游侠小百科

五毒

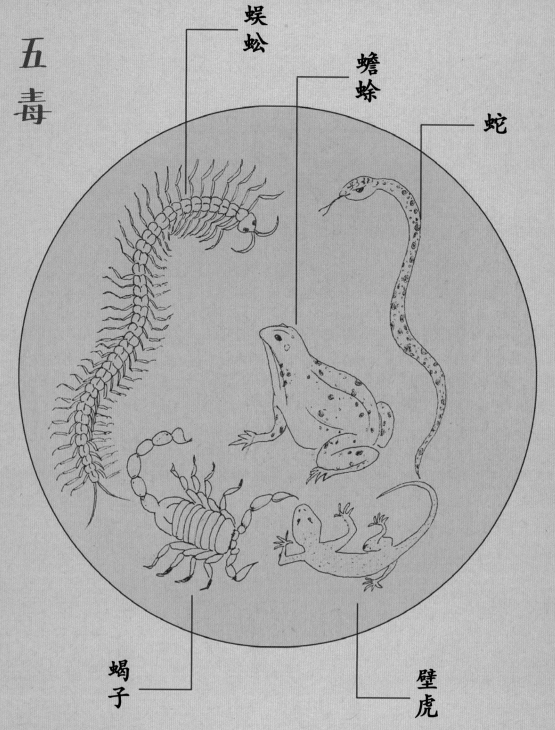

蜈蚣

蟾蜍

蛇

蝎子

壁虎

端午节驱五毒

端午节，天气热，五毒醒，不安宁。

端午前后多雨潮湿，蚊虫滋生，是传染病的高发时节。人们就在衣服上绣五毒，在饼上缀五毒图案，提醒大家防害防病。端午节这天，有些地方的人们会剪个纸葫芦，再在葫芦上剪出五毒的图案，挂贴在门上，意为把五毒之气倒掉，叫作"倒灾葫芦"。还有小孩子的老虎鞋和老虎兜，据说都可以避"五毒"之害。

五毒害怕的东西

菖蒲

菖蒲叶生得好像一把剑，古人说它是"水剑"斩千邪。菖蒲的根可以做成小朋友脖子上佩戴的辟邪小葫芦，也可以泡在大朋友的长寿酒里。它和艾叶是一对端午节好朋友，常常"结伴"出现在大门上。

艾草

清明插柳，端午插艾。艾草拥有太阳一样温暖的爱，是治病的药草。用艾叶、菖蒲、大蒜烧水洗澡并喷洒在房前屋后，或把艾叶、菖蒲研末做成香囊佩戴，整个人都会充满香喷喷的药草味。

雄黄酒

五月五，雄黄烧酒过端午。雄黄是一种中药，可以解毒杀虫，把雄黄碾成粉末泡在白酒或者黄酒里面，就做成雄黄酒了。民间都相信雄黄酒可以驱妖辟邪，所以在端午节这天，大人会在孩子们头上、耳朵后面，点几滴雄黄酒。

香囊

端午节时佩戴的香囊，不但有避邪驱瘟之意，也是一种很好的点缀。香囊内有朱砂、雄黄、香药等，外面用丝布包裹。讲究的香囊上绣着五毒图案，精致美观，清香四溢。

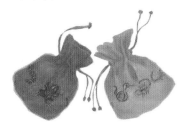

端午节当天，在中国的南北方，都有在门口挂菖蒲艾草的习俗，以示驱邪。

小米游侠记

出发！奇幻世界就在你身边

第一辑

☆ 打造专属于中国儿童的游侠故事
☆ 融合传统文化知识与自然物候
☆ 激励探索精神，从身边开始认识世界

《寻龙记》

惊蛰过了，春雨却还没下，因为龙王爷睡过了头。没有雨水的滋润，就不会有好年成了！

这时，奶奶带着小米去山上挖野菜，贪玩儿的小米碰巧挖出了冬眠未醒的金蟾。金蟾神通广大，它带着小米来到一个幽深曲折的溶洞寻找龙王，想快点儿把它叫醒，没想到却遭到蝙蝠大军的袭击……小米和金蟾到底能不能找到龙王呢？

《救鹅记》

小米、丁丁和金蟾一起去春游，金蟾听到远处的鹅叫声，以为是自己暗恋的鹅仙子，拔腿就追。

小米和丁丁到处找金蟾，不小心钻进了一只大螺壳里，进入了一个奇异的世界。他们在螺壳世界里不断历险，千辛万苦才救出了鹅仙子。可金蟾还是很伤心，这到底是怎么回事呢？

吸

《杜鹃花》

爸爸妈妈和小米去乡村玩儿，在一户人家吃晚饭。小米发现厨房里飞进许多偷东西的杜鹃鸟。她紧追着杜鹃鸟，来到茂密的森林，无意间混进了群仙宴。

原来是杜鹃仙子要回天上去了，大家都来为她送行。杜鹃仙子到底为什么离开？小米又能不能在最后关头与杜鹃仙子成为朋友呢？

扫码关注"游侠小米"

《虎头将军》

小米和金蟾在爷爷家过端午节，金蟾有幸扮演了一次"虎头将军"，却为此被小米嘲笑了一番。

端午节好热闹，爷爷带着他们去河里比赛抢鸭子。在比赛时，两条船不小心闯进了传说中住着蛇妖的芦苇荡，一时间风雷大作，波浪滔天……难道蛇妖真的存在吗？两条船上的人们互相救助，身为"虎头将军"的金蟾当然也没闲着。它到底有什么妙计呢？

《月宫大盗》

中秋夜，小米用云符变出了云鹿，准备带丁丁和金蟾去天上开开眼界，谁知道云鹿竟撞上了嫦娥。原来嫦娥正在追捕玉兔呢！

玉兔偷了霓裳羽衣，逃到了人间。它一下子变出了一大群兔子，在人间大捣其乱，把城市搅得鸡飞狗跳。小米想尽办法也捉不到这只淘气的兔子，最后幸亏丁丁想出妙计，这只贪玩儿的玉兔才无路可逃！

《菊花泉》

一只仙鹤受伤降落在小米家的晒台上，它伤得太严重，只有找到菊花泉的水才能救命。

小米用云符的法力去寻找菊花泉，她进入一片山林，遇见了一位有趣的老奶奶。老奶奶却指挥小米去摘各种果子。好不容易摘完果子，老奶奶又抛下小米独自上山去了，小米只好追上去……小米一路追着老奶奶，遇见了贪酒的五柳先生，还闯入了一座热闹的楼台，被老奶奶要得团团转。她到底能不能找到菊花泉呢？

《腌咸菜》

立冬了，小米的爸爸妈妈要帮着外婆腌咸菜，小米则帮忙把腌菜的大瓦缸洗干净，但是她太矮小了，一不小心掉进了缸里，怎么也出不来。

多亏外婆家的灶神把她拉出了大缸，但是大缸却被撞裂了。这时候，灶神告诉小米，外婆一家和咸菜还有些特殊的渊源……原来腌咸菜不只是为了吃，还有别的意义啊！

《看戏》

小米回爷爷家过冬至节。虽然戏台已经荒废多年，但还有爷爷家的酒酿是小米的最爱，她一不小心就吃多了，迷迷糊糊地被爷爷背上了床。

在醉眼朦胧间，小米看到墙壁上飞出一只黑蝴蝶。她跟着黑蝴蝶走出家门，来到村里的老戏台。这天晚上戏台灯火通明，正在上演《劈山救母》。小米不仅客串了一次哮天犬，还认识了打鼓的老爷爷。你能猜到这打鼓的老爷爷到底是谁吗？

图书在版编目（CIP）数据

虎头将军 / 旭爽文；素一,秋秋图. -- 北京：朝
华出版社, 2017.7
（小米游侠记. 第一辑）
ISBN 978-7-5054-4033-3

Ⅰ.①虎… Ⅱ.①旭… ②素… ③秋… Ⅲ.①儿童故
事－图画故事－中国－当代 Ⅳ.①I287.8

中国版本图书馆CIP数据核字(2017)第134975号

虎头将军 HUTOU JIANGJUN

文字作者	旭　爽			
图画作者	素　一　秋　秋			
项目策划	刘　怡　赵　曼			
责任编辑	刘　怡			
创作统筹	壹勺文化传播（上海）有限公司	特约编辑	刘　扬	
艺术总监	卢　璐	美术编辑	孙艳艳	
封面设计	刘莎媛	排　版	蔡　惟	
美术助理	南　星			
责任印制	张文东　陆竞赢			
出版发行	朝华出版社			
社　址	北京市西城区百万庄大街24号	邮政编码	100037	
订购电话	（010）68996618 68996050			
传　真	（010）88415258（发行部）			
联系版权	j-yn@163.com	网　址	http://zhcb.cipg.org.cn	
印　刷	北京利丰雅高长城印刷有限公司			
经　销	全国新华书店			
开　本	787mm×1092mm　1/16			
印　张	2.75	字　数	25千字	
版　次	2017年7月第1版　2017年7月第1次印刷			
装　别	平			
书　号	ISBN 978-7-5054-4033-3	定　价	18.00 元	

亲爱的读者朋友：

　　本书已入选"北京市绿色印刷工程——优秀出版物绿色印刷示范项目"。它采用绿色印刷标准
印刷，在封底印有"绿色印刷产品"标志。

　　按照国家环境标准（HJ 2503-2011）《环境标志产品技术要求 印刷 第一部分：平版印刷》，本书
选用环保型纸张、油墨、胶水等原辅材料，生产过程注重节能减排，印刷产品符合人体健康要求。

　　选择绿色印刷图书，畅享环保健康阅读！